Cynnwys

Pennod 1

Yr Het Hud

Un peth sy'n arbennig am bêl-droed yw'r atgofion. Dwi wedi gweld gemau oedd mor gyffrous fel y bydda i'n eu cofio nhw am weddill fy mywyd . . . hyd yn oed os bydda i fyw i fod yn gant tri deg saith.

Ond mae 'na un gêm y bydda i'n ei chofio tan fy mod i'n *ddau* gant tri deg saith. Yr un wnes i ei chwarae dros 40 mlynedd yn ôl. Gêm Gŵyl San Steffan oedd hi, lle sgories i dair gôl am y tro cyntaf a'r tro olaf yn fy mywyd.

Wrth gwrs, Dad oedd yr un a blannodd fy niddordeb yn y gêm. 'Gallwn i fod wedi chwarae dros Gymru, Al,' byddai e'n arfer ei ddweud wrth i ni gicio'r bêl ddydd ar ôl dydd o un cornel o'r ardd i'r llall.

'Pam na wnest ti, Dad?'

'Ro'n i'n rhy brysur yn ennill y rhyfel,' meddai.

Pan o'n i'n ifanc iawn, ro'n i'n arfer meddwl bod Dad yn arwr mawr oedd yn cario dryll ar faes y frwydr! Ond wrth i mi dyfu'n hŷn, des i ddeall mai cogydd yng ngwersyll y fyddin oedd e, ac ro'n i ychydig bach yn siomedig.

Yn nes ymlaen, pan o'n i'n hŷn, ro'n i'n deall yn union beth oedd e'n ei feddwl pan oedd e'n dweud, 'Roedd gan bawb ei ran i'w chwarae wrth geisio ennill y rhyfel. Hyd yn oed os nad oedd yr hyn roedden ni'n ei wneud

yn swnio'n bwysig. Dydy gôl-geidwad sy'n
chwarae yng nghefn y cae ddim yn sgorio
goliau, ond mae e yr un mor bwysig â'r
dynion yn y blaen sy'n saethu'r goliau i gyd.'

Fe darodd e'r bêl, ac fe hedfanodd hi
heibio fy nghlust, a chladdu'i hun yn y
clawdd. Arferai ddweud, 'Dad, deg – Al, un!'
cyn diflannu i'r tŷ am baned o de.

Roedd e'n arfer fy nghuro i o ddeg i un . . .
hynny ydy pan nad oedd e'n fy nghuro i o
ddeg i ddim. Ond doedd dim ots gen i.
Doedd e ddim yn un o'r rhieni hynny oedd
yn gadael i'w blentyn ennill. Roedd e'n
gadarn ac yn deg, ac fe wnes i ddysgu mwy
fel yna. Y noswyl Nadolig honno, dwi'n
credu fy mod i wedi colli o ddeg gôl i ddwy
yn unig!

A dyna'r Nadolig wna i byth ei anghofio.
Ar ôl bwyta'n cinio Nadolig, eisteddon ni ar
bwys y goeden i agor ein hanrhegion.

Gwnes fy ngorau glas i edrych yn
ddiolchgar wrth agor y siwmperi a'r menig
a'r llyfrau a'r gemau bwrdd a'r siocledi . . .
ond doedd dim byd oedd wir yn gyffrous.
A doedd dim teganau y tro hwn.

'Ti'n mynd ychydig yn rhy hen i gael
teganau,' meddai Mam, 'felly does dim esgus
gyda Dad i brynu rhai iddo fe'i hunan.'

9

Eisteddai Mam-gu yn y gornel yn chwerthin. Y flwyddyn flaenorol, roedd Dad wedi prynu set drenau i fi, ac yna treuliodd y ddau ddiwrnod nesa'n chwarae gyda hi!

'Na, Mam,' ochneidiais.

Cliciodd Dad ei fysedd. 'Hei, Al!' bloeddiodd. 'Tybed oes 'na rywbeth yn yr het hud?'

'Aha! Yr het hud!' sibrydais.

Gwenodd Mam-gu wrth iddi syllu i'r lle tân. Roedd hi'n gwybod beth roedd Dad yn mynd i'w wneud nesa.

Roedd Dad wedi dysgu ambell dric hud er mwyn diddanu'r milwyr yn y rhyfel. Byddai'n eu defnyddio nhw i roi anrhegion arbennig i mi ar fy mhen-blwydd. Fe wnaeth e sioe hud i fy ffrindiau unwaith, a byddai bob amser yn gorffen trwy dynnu anrheg arbennig o'i het fawr. Fodd bynnag, doedd e erioed wedi gwneud sioe hud adeg Nadolig.

11

Aeth Dad i estyn yr het o'r cwpwrdd ac ro'n i wrth fy modd. Doedd gen i ddim syniad beth fyddai'n dod allan y tro hwn. Ro'n i'n llawn cyffro, ac edryches i ddim yn ddigon gofalus i weld sut roedd e'n gwneud y tric. Pryd bynnag ro'n i'n ei holi, byddai e bob amser yn codi'i ysgwyddau ac yn dweud, 'Hud a lledrith yw e, wrth gwrs!'

'Dwed y geiriau hud, Al!' gorchmynnodd mewn llais awdurdodol.

'Abracadabra, wiliwalam!' dywedais.

Trwy ryw ryfedd wyrth, roedd fel petai e'n tynnu'r pecyn allan o het wag. Wir! Gallwn *dyngu* iddo wneud!

Nodiodd Mam-gu ei phen yn hapus, ond gwasgodd Mam ei gwefusau'n dynn. Do'n i ddim yn gwybod beth oedd yn y pecyn, ond ro'n i *yn* gwybod nad oedd hi'n fodlon.

Rhwygais y papur mor gyflym nes bod y gath yn rhedeg am ei bywyd. Diflannodd i mewn i'r gegin a'r ci'n rhedeg ar ei hôl. Ro'n i'n gafael yn yr anrheg fel petai'n aur pur.

'Esgidiau!' dywedais wrth i'r dagrau gronni yn fy llygaid. 'Esgidiau pêl-droed!' dywedais drosodd a throsodd. Ro'n i'n gwneud fy ngorau i atal y dagrau rhag llifo. Roedd Dad yn gwneud ei orau i beidio â chrio hefyd. Roedd Mam yn gwneud ei gorau glas i beidio â gwenu. 'Diolch, Dad,' meddwn i o'r diwedd.

'A dy fam,' meddai Dad.

'Diolch, Mam.'

'Ti'n cael dy sbwylio,' meddai hithau.

Pennod 2

Rhwbio Dwbin

Wrth gwrs, ro'n i eisiau eu gwisgo nhw, rhedeg allan a mynd i chwarae ar unwaith. Ond dywedodd Dad, 'Lledr yw esgidiau pêl-droed, a byddan nhw'n cracio os gwlychi di nhw yn y tywydd yma.'

Digon gwir. Y dyddiau hynny, roedd yr esgidiau wedi'u gwneud o ledr brown, plaen, gyda blaenau caled oedd yn ddigon cadarn i chwalu cragen crwban, hyd yn oed.

'Beth ydw i fod i wneud, Dad?'

'Rhwbia dwbin i mewn iddyn nhw,' atebodd yn ddoeth.

'Dwbin? Beth yn y byd yw dwbin?' gofynnais. Roedd Mam-gu'n chwerthin iddi'i hun yn y cornel.

'Dwbin dwi'n galw'r polish yma. Mae e'n meddalu'r lledr ac yn sicrhau na fydd e'n cracio. Os gwnawn ni e nawr, dylen nhw fod yn barod i'w gwisgo fory,' meddai Dad.

'Oes peth gyda ti?' gofynnais.

'O dan sinc y gegin,' atebodd. 'Dyna beth o'n i'n arfer ei ddefnyddio ar fy esgidiau cyn y rhyfel.'

Fe dreulion ni'r awr nesa yn rhwbio'r stwff drewllyd, seimllyd dros bob modfedd a chrych yn yr esgidiau. Buon ni'n eu rhwbio nes eu bod nhw'n gynnes.

'Dyna'r ffordd i wneud yn siŵr bod y dwbin yn suddo i mewn,' eglurodd Dad. Buon ni hyd yn oed yn rhwbio'r careiau lledr. Roedd yr esgidiau dan y goeden Nadolig yn sgleinio fel swllt.

'Maen nhw'n edrych fel pâr o lampau Aladin,' dywedais wrth Dad.

Roedden ni wedi gweld y panto Aladin ddau ddiwrnod cyn y Nadolig. Ro'n i wedi penderfynu, pe bai gen i lamp Aladin, y byddwn i'n gofyn am bâr o esgidiau pêl-droed.

Dyma'r anrheg orau ro'n i wedi'i chael erioed. Dyma'r anrheg orau y gallwn i ei chael hyd yn oed pe bawn i'n byw i fod yn dri chant tri deg saith.

'Esgidiau hud ydyn nhw, wrth gwrs,' meddai Dad.

'O, bydd dawel Dad,' chwarddais. Ond doedd Dad ddim yn chwerthin, ac eisteddai Mam-gu yn y gornel yn nodio'n ddoeth.

'Mae gan yr esgidiau yma eu meddwl hudol eu hunain,' meddai Dad.

'Nac oes!' dadleuais, ond do'n i ddim mor siŵr erbyn hyn.

'Fe dales i'n ychwanegol am hynny,' mynnodd Dad. 'Gei di weld.'

'Pryd? Pryd ga i fynd allan ynddyn nhw, Dad?'

'Bore fory, yn y parc, Al. Fe af i â ti i lawr yna, a gei di roi cynnig arnyn nhw.'

A dyna ni. Dyna ddiwedd ar y Nadolig. Y cyfan ro'n i eisiau oedd i ddydd San Steffan gyrraedd. Mae'r rhan fwyaf o blant yn ei chael hi'n anodd mynd i gysgu ar noswyl Nadolig am eu bod nhw mor gyffrous. Ond ces i drafferth i gysgu'r noson honno cyn dydd San Steffan. Ro'n i'n dyheu i'r wawr dorri, a bues i'n gwylio bysedd fy nghloc larwm yn cropian o awr i awr.

Ro'n i mor gyffrous. Ond, wrth gwrs, doedd gen i ddim syniad faint o gyffro oedd o 'mlaen i.

Pennod 3

Trechu'r Gelynion

Am chwech o'r gloch fore trannoeth, es i
ddeffro Dad. Dywedodd wrthyf am fynd 'nôl
i'r gwely a gadael llonydd iddo . . . ond nid
dyna'r geiriau a ddefnyddiodd. Doedd e
ddim mor gwrtais â hynny.

Am saith o'r gloch, es i â phaned
o de iddo. Cwynodd, 'Dyma'r unig ddau
ddiwrnod dwi'n eu cael i ffwrdd tan
benwythnos y Pasg. Dwi 'nôl yn y siop fory.'

'Iawn, Dad. Ga i wisgo'r esgidiau
pêl-droed nawr, Dad?'

'Cei. Ond paid â gwneud sŵn dros lawr y gegin yn y stỳds yna, neu bydd dy fam yn gwneud sŵn yn dy glustiau.'

'Iawn, Dad,' dywedais, a rhuthro i lawr canllaw'r grisiau.

Fe wnes i lacio'r careiau a gwisgo'r
esgidiau dros fy sanau gwyn, byr. Roedden
nhw'n ffitio fel esgid hud Sinderela – dyna'r
panto welson ni'r flwyddyn cyn hynny – ac
roedden nhw mor gyffyrddus â'r hen esgidiau
tennis ro'n i'n eu gwisgo i fynd i'r gampfa.

23

Sefais ar ganol llawr y lolfa ac ymarfer cicio pêl ddychmygol. Y lle tân oedd y gôl, ac fe wnes i greu fy effeithiau sain fy hun. *Wham!* wrth i mi gymryd yr ergyd. *Waaaa!* wrth i'r dorf floeddio'n llawn edmygedd. Cuddiodd y ci tu ôl i'r gadair. (Tipyn o gachgi oedd e. Roedd Dad yn meddwl y byddai'n gwneud ci diogelwch da oherwydd byddai'n llyfu'r lladron hyd nes eu bod yn ddim.)

Am naw o'r gloch, daeth Dad i lawr y grisiau o'r diwedd. Gwisgai ei got drwchus a'i sgarff.

Roedd hi'n llwydaidd ac yn oer allan, ond fe wisgais i fy siorts gwyn a'r siwmper werdd roedd Modryb Doris wedi'i gweu i mi ar gyfer y Nadolig.

'Reit, Al! Dere draw i'r parc, ac fe wna i ddangos i ti sut y gwnaeth Hughie Ferguson ennill Cwpan yr FA i glwb Dinas Caerdydd yn 1927.'

Roedd gwynt main yn chwythu o'r môr,
ac roedd y strydoedd yn wag. Fe wnaeth
Dad fy ngorfodi i newid i'm esgidiau
cyffredin er mwyn cerdded i'r parc.

'Byddi di'n treulio'r stŷds lledr ar y
palmant concrid,' rhybuddiodd Dad.

Fe glymais gareiau'r esgidiau pêl-droed
gyda'i gilydd a'u taflu nhw dros fy ysgwydd,
mor falch â phaun. Dim ond deng munud
roedd hi'n gymryd i gerdded at lan y môr,
lle'r oedd y dŵr mor ddi-liw a digyffro â'r
awyr. Yna pum munud arall o lan y môr i'r
parc. Dyna ble gwelson ni'r arwydd cyntaf o
fywyd y bore hwnnw. Roedd dau griw o
fechgyn yn newid i'w dillad pêl-droed ar un
o gaeau pêl-droed y parc.

Ro'n i'n adnabod y dillad yn syth.
Y streips du a gwyn oedd Ysgol Gynradd
Cwmbwrla, filltir i ffwrdd o'n tŷ ni, a'n
gelynion pennaf ym *mhopeth*. Y tîm yn

y lliwiau gwyrdd a gwyn oedd Ysgol Gynradd Bronaber. Ein hysgol ni.

Fe anghofiais am fy ngêm ceiniog a dimau yn yr ardd gyda Dad. Roedd hon yn gêm *go iawn*. Ro'n i'n rhy swil i ymarfer gyda'r chwaraewyr hyn.

Edrychodd Dad arna i. 'Be sy'n bod, Al?'

'Maen nhw'n chwaraewyr arbennig, Dad!' dywedais.

'Sut wyt ti'n gwybod?' holodd. 'Dwyt ti ddim wedi eu gweld nhw'n chwarae eto.'

'Naddo, ond maen nhw yn y dosbarth uchaf. Y bechgyn mawr yn ein hysgol ni. Maen nhw flwyddyn yn hŷn na fi.'

'Felly, pam maen nhw'n chwarae ar Ŵyl San Steffan? Ble mae eu hathro nhw? Pwy yw'r reff?'

'Does gen i ddim syniad, Dad.'

'Wel, beth am i ni ofyn iddyn nhw 'te?'

Teimlais fy hun yn cochi, o waelod fy esgidiau newydd i'm corun. Roedd fy wyneb yn llosgi. Ond roedd Dad yn esgus nad oedd e wedi sylwi. 'Hei, fechgyn!'

Fe syllodd bachgen mawr gyda gwallt golau ar Dad. Ro'n i'n gwybod mai fe oedd Deri Tomos, y capten.

'Beth?' gwaeddodd Deri'n siarp.

'Ydy hon yn gêm go iawn?' holodd Dad.

'Gêm leol,' meddai Deri, gan sefyll a'i ddyrnau'n gadarn ar ei gluniau. 'Gêm gyfartal gawson ni pan fuon ni'n chwarae yn y gynghrair fis yn ôl. Dyma'r gêm sy'n penderfynu.'

'Angen reff?'

Edrychodd Deri Tomos ar gapten Cwmbwrla.

'Byddai'n well i ni gael reff,' cytunodd y bachgen gwallt tywyll o Gwmbwrla.

'Wel, fi yw'r dyn i chi,' meddai Dad, wrth gamu'n hapus i'r cylch canol. Gadawodd fi ar fy mhen fy hun, yn unig, yn ofnus ac yn teimlo cywilydd ar y llinell ochr.

Fe benderfynais, yn y fan a'r lle, na fyddwn i byth yn maddau i Dad, dim hyd yn oed os byddwn i'n byw i fod yn *bedwar cant tri deg saith*.

Ond roedd hynny cyn i'r esgidiau pêl-droed ddangos eu hud a'u lledrith, wrth gwrs.

Pennod 4

Gwaed a Llaid

Roedd rhai'n cweryla cyn i'r gêm ddechrau hyd yn oed. 'Mae'n rhaid i chi gael gôl-geidwad,' meddai Dad wrth ein capten ni.

Syllodd Deri Tomos arno. 'Steffan Ffransis ydy'n gôl-geidwad ni fel arfer. Ond fe ddywedodd ei fam fod yn rhaid iddo fynd i Abertawe dros y Nadolig i dŷ ei fodryb, a bydd e'n hwyr yn dod 'nôl.'

'Wel, bydd raid i chi roi un o'r chwaraewyr eraill yn y gôl, 'te!' mynnodd Dad.

Trodd chwaraewyr Bronaber i ffwrdd oddi wrth eu capten. Edrychodd rhai at y llawr a chwibanodd eraill. Doedd neb eisiau bod yn gôl-geidwad.

Pwyntiodd Dad ata i. 'Gadewch i Al ni fynd yn y gôl,' meddai.

Edrychodd y tîm arna i'n ddirmygus. 'Babi blwyddyn yn iau na ni!' chwarddodd Joni Evans.

Bloeddiodd Deri Tomos arno. 'Cer di i'r gôl
'te!' meddai.

'Na!' poerodd Joni. 'Gad i'r babi fynd i'r
gôl. Bydd yn well na dim.'

'Does dim hawl gwneud hynny, yn ôl
rheolau'r gynghrair,' dadleuodd capten
Cwmbwrla. Ei enw e oedd Rhys Williams.

Rai blynyddoedd wedyn, es i i'r un ysgol
uwchradd â Rhys, ac roedd e'n fachgen grêt.
Ond yr eiliad hon, roedd e'n edrych fel
petai e'n gwatwar drwy'r amser, a fe oedd
capten y gelynion. Ro'n i'n ei gasáu e!

'Ond nid gêm gynghrair yw hon,'
gwaeddais.

'Yn union!' cytunodd Deri Tomos. 'Oes
arnoch chi ofn gadael i Al fynd i'r gôl rhag
ofn i chi gael eich curo?'

'Na! Ond dwi ddim eisiau i Al gael dolur.'

'Reit,' meddai Dad, gan wthio'i big i mewn. 'Fi yw tad Al. Fe wna i gymryd y cyfrifoldeb os bydd rhywbeth yn mynd o'i le.'

Roedd Rhys Williams yn edrych yn anhapus ond crychodd ei drwyn a dweud, 'Dewch 'mlaen 'te.'

Yn rhyfedd iawn, ro'n i'n gwisgo siwmper Nadolig werdd, newydd Modryb Doris, felly ro'n i'n berffaith ar gyfer y job. Wel, efallai fy mod i ychydig yn fyr. Doedd dim gobaith gen i gyrraedd y croesfar, hyd yn oed gyda fy naid uchaf.

'Bydd yn well na dim.' Dyna oedd geiriau Joni Evans, wedi'r cwbl.

Dyna, felly, sut y cefais fy hun yn chwarae yn y tîm, gyda phob un o'm harwyr bore Sadwrn. Roedd John Charles (a gafodd ei

enwi ar ôl y chwaraewr pêl-droed enwog) mor fedrus â dawnsiwr bale, roedd Dafydd Bach fel daeargi yn y tacl ac, wrth gwrs, roedd Deri Tomos yn graig yng nghanol yr amddiffyn.

Roedd y cae'n fwdlyd, roedd hi'n anodd cicio'r bêl, roedd pawb yn llithro wrth geisio taclo, ac roedd stỳds yn crensian wrth daro'r padiau coesau. Doedd hi ddim yn olygfa hyfryd i'w gwylio, ond roedd hi'n gyffrous – fel gwylio tonnau'r gaeaf yn hyrddio yn erbyn y creigiau. Roedden ni'n ymosod yn galed yn erbyn eu hamddiffyn nhw, ac roedden nhw'n mynd yn fud wrth iddyn nhw daro Deri Tomos.

Ro'n i'n gweiddi fel cefnogwr pan roedden ni'n gwthio ymlaen, yna'n crynu wrth i chwaraewyr Cwmbwrla nesáu at fy ngôl i.

Wedyn, daeth y trychineb mawr. Gwthiodd Rhys Williams y bêl heibio i Deri Tomos.

Fe wnaeth Deri droi'n sydyn ond aeth ei
goes chwith yn sownd yn y mwd, ac fe
drodd ei figwrn. Syrthiodd fel coeden gan
weiddi mewn poen. Neidiodd Rhys dros
ei belen o gorff a rhedeg tuag at fy ngôl i.
Fe gyrhaeddodd ymyl y cwrt cosbi.

Ro'n i'n cofio popeth ddysgodd Dad i fi.
Rhedes i allan i gulhau'r onglau. Fe wnes i
ymestyn fy hun allan mor llydan ag y gallai
fy nghorff bach tenau wneud. Doedd dim
un ffordd heibio i mi, i'r chwith nac i'r dde!

Ciciodd Rhys y bêl dros fy mhen. Dyma
fi'n troi a rasio 'nôl i'r llinell gôl i geisio
achub y sefyllfa. Edrychais wrth i'r bêl ledr
fwdlyd daro'r croesfar a bownsio 'nôl. Cyn i
mi fedru symud, tarodd y bêl fi yn fy
wyneb. Teimlais y gwaed yn llifo o 'nhrwyn,
a gwyliais, trwy fy nagrau, y bêl yn bownsio
oddi ar fy wyneb i mewn i'r gôl.

Ro'n i eisiau i'r ddaear agor, a'm llyncu. Ro'n i eisiau cerdded i mewn i'r môr rhewllyd a nofio hyd nes i mi foddi. Ro'n i eisiau bod yn fwydyn a llithro o dan y mwd.

Roedd Cwmbwrla'n dathlu. Sychais innau'r gwaed oddi ar fy wyneb gyda llawes fy siwmper.

'Hen dro, Al,' meddai Rhodri Griffiths, yr asgellwr pengoch, wrth iddo gymryd y bêl oddi arna i.

'Sori,' dywedais dan fy anadl. 'Fy mai i.'

'Paid â phoeni,' meddai. Gwenodd, a wincio arna i. 'Digon o amser ar ôl!'

Felly doedd hi ddim yn ddiwedd y byd! Ro'n i'n teimlo'n well! Ro'n i'n dal yn ddigon hapus pan ddigwyddodd yr ail drychineb.

Pennod 5

Hyrddio a Threchu

Roedd Deri Tomos yn hercian yn boenus o gwmpas canol y cae. Roedd ein craig yn chwalu, a'r ochr arall yn llifo heibio iddo fel tonnau'n llyfu castell tywod ar y traeth. Am amser hir, roedd yna graig arall i'w hatal nhw . . . wel, rhywbeth mwy tebyg i garreg fawr, mewn gwirionedd. Fi.

Ro'n i'n fach ac yn gyflym. Fe wnes i ddeifio i daro ergydion peryglus o gwmpas y postyn. Fe wnes i straffaglu i mewn i'r mwd i ddwyn y bêl oddi ar flaenwyr y gelynion. Fe wnes i ddal yr ergydion fel petaen nhw'n falŵns mewn parti.

Roedd y tîm, fy arwyr, yn edrych arna i gyda pharch newydd ac ro'n i wrth fy modd. Roedd hyd yn oed Dad, fel reffarî, yn edrych wrth ei fodd.

Wrth i Rhys Williams redeg yn glir ac anelu amdana i, ro'n i'n gwybod y gallwn i rwystro beth bynnag y byddai e'n ei ergydio tuag ata i. Roedd fel petai e'n gwybod hynny hefyd, ac roedd y panig yn amlwg ar ei wyneb. Tarodd y bêl yn rhy gyflym o lawer. Hyrddiodd i mewn i'm stumog ac fe gydies i ynddi'n dynn a diogel.

Ond wnaeth Rhys ddim rhoi'r gorau i redeg. Taranodd yn ei flaen. Dyma fi'n troi fy ysgwydd tuag ato i geisio'i atal. Clec! Tarodd ein hysgwyddau. Doedd dim cystadleuaeth. Fe wnes i hedfan trwy'r awyr, a glanio'n syth yn y rhwyd gyda'r bêl yn dynn wrth fy mrest.

Fe drodd Rhys i ffwrdd i ddathlu.

'Dere 'mlaen, Reff!' cwynodd John Charles. 'Dyw hynna ddim yn deg! Mae e ddwywaith maint Al!'

Wffticdd Dad. 'Ymosodiad ysgwydd teg. Does dim byd yn y rheolau'n dweud bod yn rhaid i'r chwaraewyr fod yr un maint. Mae'r gôl yn sefyll. Cwmbwrla dau, Bronaber dim.' Edrychodd ar ei oriawr a chwibanu. 'Hanner amser! Newid ochr!'

Symudodd ein tîm trist ni i lawr i ochr bella'r cae i ddechrau'r ail hanner. Fe gasglodd Deri Tomos y tîm o'i gwmpas. 'Maen nhw'n mynd i dargedu Al yn y gôl, nawr eu bod nhw wedi cael rhwydd hynt i wneud hynny unwaith,' meddai.

'Bydda i'n barod ar ei gyfer e'r tro nesa,' dywedais.

Ysgydwodd Deri ei ben. 'Fy mai i yw e'n bennaf. Dyw'r goes yma'n dda i ddim. Dwi'n meddwl y byddai'n well pe bawn i'n mynd i'r gôl ar gyfer yr ail hanner. John, cer 'nôl i ganol yr amddiffyn.'

'Beth amdana i?' gofynnais mewn llais bach, siomedig.

'Cymera di le John fel blaenwr,' meddai Deri. 'Arhosa yn y canol, er mwyn bod yn boen i bawb.'

'Blaenwr!' meddwn dan fy anadl. Ac fe allwn i dyngu fy mod wedi teimlo'r esgidiau hud yn goglais fy nhraed wrth i mi ddweud y gair.

Dyma'r cyfle roedden nhw wedi bod yn aros amdano!

Pennod 6

Goliau a Buddugoliaeth

Dwi ddim yn siŵr pwy oedd yn edrych mwyaf dwl. Deri'n gwisgo siwmper Modryb Doris, wedi'i hymestyn hyd yr eithaf dros ei gorff mawr, neu fi'n gwisgo crys Deri a hwnnw'n hongian amdana i fel pabell enfawr. Do'n i ddim yn poeni sut ro'n i'n edrych. Ro'n i'n hapus.

Roedd Deri'n ddewr. Roedd e'n sefyll ar ei goes chwith, er ei bod wedi'i hanafu, ac yn taro yn erbyn y bêl â'r llall. Roedd ei wyneb yn welw ac ro'n i'n gallu gweld ei fod e mewn poen. Ond roedd ei ergydion o'n gôl ni'n cyrraedd y cylch yng nghanol y cae.

Fe redodd John tuag ata i. 'Cadwa o fewn y smotyn canol, Al. Pan fydd y bêl yn glanio, gwthia hi ymlaen at Dafs Bach fel ei fod e'n gallu rhedeg gyda hi.'

Nodiais fy mhen. Ro'n i'n deall beth roedd e'n ei ddweud, ond aeth pethau o chwith, mewn ffordd mwyaf annisgwyl, a dwi'n beio'r esgidiau.

Anfonodd Deri yr ergyd nesa fry i'r awyr. Ro'n i oddi tani. Bownsiodd y bêl, ac fe estynnais fy nhroed allan i'w gwthio ymlaen at Dafs. Ond rhywfodd, fe fownsiodd y bêl yn uwch eto. Fe wnes i osod fy nhroed oddi tani, a'i helpu i fynd yn uwch i'r awyr eto fyth – yn ddigon uchel i ddod i lawr ag eira ar ei phen.

Roedd gôl-geidwad Cwmbwrla'n aros ar ymyl y cwrt cosbi. Gwyliodd mewn arswyd wrth i'r bêl lanio y tu ôl iddo ar y smotyn gwyn, bownsio unwaith a hedfan rhwng y pyst.

Chwibanodd Dad. 'Gôl! Cwmbwrla dau,
Bronaber un!'

Ysgydwodd John ei ben. 'Nid dyna o'n i'n
ei feddwl yn union, Al . . . ond ddim yn
ddrwg!'

'Diolch, John,' dywedais. Doedd y geiriau
ddim yn llifo'n hawdd. Allwn i ddim credu
beth oedd wedi digwydd, ond ro'n i'n falch
iawn.

Aeth y gêm yn fwy caled wedi hynny. Doedd y gelyn ddim yn fy nhrin i fel jôc bellach. Bob tro y byddai'r bêl yn dod yn agos ata i, byddwn yn cael fy llorio. Roedd fy ngôl i wedi ysbrydoli Bronaber. Buon ni'n ymosod dro ar ôl tro. Treuliais i fwy a mwy o amser yn nghwrt cosb Cwmbwrla, ond roedd eu gôl-geidwad nhw'n chwarae'n arbennig o dda.

Mae'n siŵr y gallech ddweud bod fy ail gôl yn un ddigon rhyfedd hefyd. Fe wthiodd John y bêl yn ei blaen ata i ar ymyl y cwrt cosbi, ond roedd wal o dri neu bedwar crys streipiog du a gwyn o'm blaen.

'Croesa hi!' bloeddiodd Joni Evans o ochr bellaf y bocs.

Ro'n wedi cael hyfforddiant da gan Dad. Fe osodais i flaen fy esgid o dan y bêl, a'i chodi'n glir dros bennau'r amddiffynwyr. Fe redodd eu gôl-geidwad nhw tuag at Rhodri

Griffiths . . . byddai ei ddwylo'n cyrraedd y bêl cyn pen Joni.

Ond, yn sydyn, fe chwythodd awel o gyfeiriad y môr, a newid cyfeiriad y bêl wrth iddi hedfan drwy'r awyr. Ceisiodd y gôl-geidwad droi 'nôl i ddilyn y bêl, ond fe lithrodd e yn y mwd. Roedd e ar ei gefn wrth i'r bêl lithro o dan y croesfar ac ar draws y llinell.

'Gôl! Dau yr un!' gwaeddodd Dad. 'Pum munud o chwarae ar ôl.'

Roedd môr o grysau gwyrdd a gwyn tîm Bronaber o 'nghwmpas, ac roedd pawb yn taro fy nghefn nes ei fod yn brifo.

'Cer am yr hatrig, Al. Arhosa yn y blaen,' meddai Dafs Bach. 'Ti'n gallu'i wneud e.'

Ond fe aeth y munudau yn eu blaenau, a Cwmbwrla oedd yn gwneud yr holl wthio am ymlaen. Fe lwyddodd Deri Tomos yn y gôl i atal ergyd â'i ben-glin ddrwg, casglodd y bêl, a gydag un ymgais olaf boenus ciciodd hi i ben draw'r cae. Ro'n i'n sefyll yn y cylch canol. Gadawes i'r bêl fownsio heibio i mi, yna mynd fel mellten ar ei hôl.

Roedd beth ddigwyddodd nesa yn rhyfedd *iawn*. Wna i byth ei ddeall, dim hyd yn oed os bydda i fyw tan fy mod i'n bum cant tri deg saith. Ond fe wna i geisio egluro.

Roedd fel petai'r 21 chwaraewr arall oedd ar y cae wedi cael eu ffilmio'n rhedeg yn araf iawn. Fi oedd yr unig un oedd yn symud yn gyflym. Ac wrth i mi redeg, roedd tawelwch llethol. Fe safodd y byd yn stond wrth i mi wibio ymlaen.

Efallai bod tîm Cwmbwrla'n aros i mi eu pasio nhw. Efallai eu bod nhw'n aros i mi faglu, efallai eu bod nhw'n aros i rywun arall fy rhwystro i . . . neu efallai bod yr esgidiau wir yn rhai hudol.

Fe es heibio i'r amddiffynnwr mewn chwinciad, ac yna heibio'r cefnwr oedd yn ymddangos fel petai'n sownd yn y mwd. Yna, dim ond y gôl-geidwad oedd ar ôl. Fe wnaeth e ymestyn ei freichiau a'i goesau ar led, fel na allwn i weld y gôl o gwbl.

Tynnais fy nhroed dde yn ôl er mwyn cicio'r bêl mor galed ag y gallwn i. Byddai hynny wedi bod yn gamgymeriad mawr, chi'n deall, ond do'n i ddim yn meddwl. Yn ffodus iawn, fe wnaeth yr esgidiau feddwl ar fy rhan i. Tarodd fy nhroed i mewn i'r borfa, llithro, a chicio'r bêl yn syth.

Dim ond un ffordd y gallwn i sgorio, a hynny trwy'r bwlch oedd rhwng coesau'r gôl-geidwad . . . a dyna lle gwnaeth yr esgidiau hud ei gosod hi!

Wrth i'r bêl groesi'r llinell, chwibanodd Dad, 'Gôl, ac mae'r gêm ar ben! Bronaber tri, Cwmbwrla dau!'

Pe bawn i wedi bod yn fwy hapus, byddwn i wedi ffrwydro, a Dad hefyd. Bob yn un, fe ddaeth y chwaraewyr eraill oedd yn fy nhîm i ataf i ysgwyd llaw. Yn rhyfedd iawn, eu tro nhw oedd bod yn swil nawr. Roedd hyd yn oed tîm Cwmbwrla'n dweud, 'Da iawn!'

Fe wnes i gyfnewid crys gyda Deri Tomos.

'Chwarae'r wythnos nesa, Al?' gofynnodd.

Ysgydwais fy mhen yn araf. 'Na. Ti'n gwybod na fydd y gynghrair yn caniatáu hynny.'

Nodiodd. 'Efallai y byddan nhw'n newid y rheolau rhyw ddiwrnod.'

'Rhyw ddiwrnod,' cytunais.

Pennod 7

Hud ac Atgofion

Aeth Dad a minnau i mewn drwy ddrws
y gegin ar flaenau ein traed.

'Rho dy esgidiau yn y ffwrn am ychydig
iddyn nhw gael sychu, yna bydd y mwd yn
dod i ffwrdd yn hawdd,' meddai Dad.

Ond wrth i ni geisio mynd yn ddistaw
bach i fyny'r grisiau i newid, fe glywodd
Mam ni. Pan agorodd hi ddrws y lolfa, aeth
yn benwan.

'Beth wyt ti wedi'i wneud i siwmper
Modryb Doris? Edrycha arni! Mae hi'n rhacs!

Ac edrycha ar dy wyneb! Y gwaed ar dy drwyn. Ble yn y byd wyt ti wedi bod?'

'Chwarae pêl-droed,' dywedais yn dawel.

'Chei di ddim chwarae pêl-droed eto. Byth bythoedd!' meddai hi, ac ro'n i'n gwybod ei bod hi o ddifri. 'Hoci, pêl-rwyd neu dennis, dyna beth mae merched ifanc yn eu chwarae. Dyw pêl-droed ddim yn gêm i ferched, a fydd hi byth!'

'Mae'n Al fach ni wedi mwynhau ei hun,' meddai Dad.

'A dyna rywbeth arall,' meddai Mam yn ffyrnig. 'Rho'r gorau i'w galw hi'n Al. Alaw yw ei henw hi. Rhaid i ti roi'r gorau i'r nonsens "Al" yma.'

'Iawn, cariad,' meddai Dad. Roedd e'n gwybod pan oedd wedi cael ei drechu.

Am chwarter awr cawson ni bregeth pam ei bod hi'n anghywir bod merched yn chwarae pêl-droed gyda bechgyn. Yna, trodd Mam at Mam-gu am gefnogaeth. 'Beth ydych chi'n feddwl, Mam-gu?' gofynnodd.

'O jiw . . . O jiw, beth sy'n llosgi? Wyt ti wedi gadael rhywbeth yn y ffwrn?'

'Yr esgidiau hud!' bloeddiodd Dad a minnau gyda'n gilydd, a rhedeg nerth ein traed i'r gegin i'w hachub nhw.

Roedd hi'n rhy hwyr, wrth gwrs. Roedden nhw wedi llosgi'n ulw. Wisgais i byth yr esgidiau eto, felly doedd dim gobaith gen i brofi ai eu gallu hud neu hyfforddiant Dad oedd yn gyfrifol am yr hatrig ges i.

Y tair gôl hudol yna. Yr hatrig cyntaf a'r olaf yn fy mywyd.

'Diolch byth am hynny,' meddai Mam. 'Fe af i allan i'r sêl mis Ionawr a phrynu esgidiau hoci i ti yn lle'r esgidiau pêl-droed 'na.'

Dwi ddim yn beio Mam, chi'n deall. Bedwar deg mlynedd yn ôl, doedd merched ddim yn chwarae pêl-droed. Ond mae pethau wedi newid ers hynny, dwi'n falch o ddweud.

Dwi'n maddau iddi. Chi'n gweld, roedd Mam yn gallu fy rhwystro i rhag chwarae pêl-droed. Ond allai hi byth, byth ddileu atgofion hud y diwrnod hwnnw.

Yr hyn sy'n arbennig am bêl-droed yw'r atgofion mae e'n ei roi i chi. Ac fe wna i gofio fy hatrig, hyd yn oed os bydda i fyw tan fy mod i'n *chwe* chant tri deg saith!

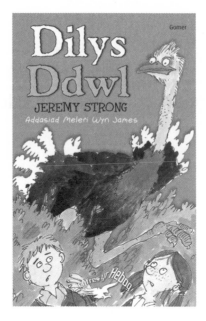

Fyddech chi'n hoffi cael estrys yn anifail anwes?
Wel, mae problemau mawr gan Huw pan mae estrys yn
carlamu trwy glawdd yr ysgol un dydd ac yn brasgamu
ar hyd yr iard. Sut yn y byd y gall ef ei hachub rhag
y dynion mewn dillad duon sydd eisiau ei lladd? A pham
yn y byd mae Sara a'i thraed yn sownd yn nhoiled
y bechgyn?

ISBN 978 1 84851 018 0   £4.99

Beth petaech chi'n perthyn i rywun enwog? Sut deimlad
fyddai hynny? Wel, mae Bela, modryb Catrin, yn seren
y byd ffilmiau. Mae pawb yn ei haddoli. Pawb ond Catrin!
Mae'r syniad o dreulio diwrnod yn ei chwmni fel hunllef
i Catrin. Ond mae Bashir – cath Modryb Bela yn achub
y dydd.

ISBN 978 1 84323 980 2   £4.99

'A fyddet ti'n hoffi cael mam-gu newydd?' meddai Tad-cu.

'Roeddwn i'n meddwl y gallet ti fy helpu i ddod o hyd i un.'

Merch y dref ydy Mali. Mae hi'n casáu'r syniad o dreulio wythnos yng nghefn gwlad, yng nghanol 'nunlle gyda Tad-cu. Ond mae angen codi ei galon, a dim ond Mali all wneud hynny. A fydd e'n llwyddo i ennill calon yr hyfryd Alys? Ai hi fydd Mam-gu newydd Mali?

ISBN 978 1 84323 989 5   £4.99

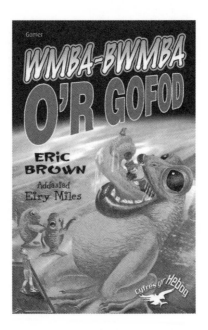

Fel arfer, bwli'r pentref yw problem fwyaf Pwtyn.
Ond un diwrnod, caiff ei gipio gan long ofod!

Mae antur fawr Pwtyn a Del yn dechrau ar long ofod,
a chyn hir mae'r ddau'n glanio ar blât brecwast broga
mawr o'r gofod! A fydd Pwtyn a Del yn cyrraedd 'nôl i'r
Ddaear yn saff – neu a fyddan nhw'n cael eu bwyta?

ISBN 978 1 84323 999 4   £4.99

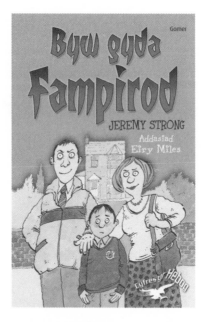

Ydy'ch rhieni chi'n normal? Mae rhieni Bleddyn yn rhyfedd iawn. Maen nhw'n gallu newid pobl yn sombis. Gwaed yw eu hoff ddiod. Ac yn waeth na hynny, maen nhw'n bwriadu mynd i ddisgo'r ysgol gyda Bleddyn! Sut y gall Bleddyn gael ei rieni i ymddwyn yn normal yn y disgo fel y gall e greu argraff ar ferch brydferthaf yr ysgol – Eos Rhys?

ISBN 978 1 84323 981 9   £4.99